米妮的大明星

童趣出版有限公司编译　人民邮电出版社出版
北　京

米妮正在自己的蝴蝶结精品店里忙碌地工作着。

　　"哎，露卡，我的小布谷鸟，"米妮拿出一只缀满了七彩宝石的蝴蝶结兴奋地问她的小鸟，"看看这个全新的'魔法宝石'是不是超级棒？"

忽然，米妮听到了一阵咯咯的笑声。
"是谁藏在那里呀？"米妮问道。
"是我们！米妮阿姨！"米莉和米乐迪从商店
的角落里蹦了出来。

米妮开心地和她的两个双胞胎小侄女打招呼。
"你好啊，米莉！你好，米乐迪！"
两个活泼的小女孩儿开始绕着蝴蝶结奔跑起来。

哦不！她俩撞翻了装满蝴蝶结和串珠的盒子！

"我们今天能帮你的忙吗？"米莉恳求米妮。

"我们保证会很听话的！"米乐迪紧接着说。

布谷鸟露卡看着两个小姑娘刚刚闯下的祸，忍不住说道："鬼才相信你们！"

　　"真好，今天我能多两个帮手了！"米妮一脸慈爱地说，"你们来帮我把那盒绸带打开吧！"

　　"好的！"米莉和米乐迪异口同声地答应。

就在这时，黛丝急匆匆地走进了商店。

"米妮！"她兴冲冲地喊道，"你肯定想不到……"

啊！黛丝话还没说完，就一下子踩到散落在地板上的串珠，滑倒了！

　　"哦，黛丝！"米妮担心地叫道，"你还好吗？"

　　"我好得很！"黛丝仍然很兴奋，"猜猜是哪个大名鼎鼎的电影明星要来你的蝴蝶结精品店？"

"难道是佩妮·普杜尔？"米妮猜道。

"没错！"黛丝说，"我刚和她的助手通完电话。他们对我们唯一的要求就是能够让明星在一个完全安静、舒适的环境里购物。"

　　这时，米莉和米乐迪直直地朝着黛丝冲了过来，差点儿把她撞倒。

　　"你好，黛丝阿姨！"两个双胞胎兴高采烈地跟她打招呼，"那些珠子是我们弄掉的，真对不起！"

黛丝无奈地看着两个双胞胎姐妹叹了口气，对米妮说："米妮，这两个小丫头可并不安静啊！"

米妮咯咯咯地笑起来："她们平时总是这样的。不过她们向我保证今天会很乖的。"

就在米妮说话的时候，米莉和米乐迪正踩在转椅上，打算去拿架子上的缎带呢。

啊哦！她们滑倒了！看来帮手们需要帮助了！

"啊！真抱歉，米妮阿姨！"她俩狼狈地趴在地上。

就在此时，外面出现了一阵骚动。

佩妮·普杜尔已经到了！

成群的粉丝和摄影师包围着这位大名鼎鼎的影星。"普杜尔小姐，请看这边，"只听一位摄影师说，"请笑一笑！"

"天哪！"黛丝激动地尖叫道，"她来了！"
黛丝说着，开始手忙脚乱地收拾起来。

珠光宝气的影星佩妮·普杜尔大摇大摆地迈进了商店的门。

"欢迎来到蝴蝶结精品店！"米妮热情地对自己的大明星顾客说。

"你好，"佩妮开口了，"你可一定要帮帮我。还有不到一个小时的时间，我就要去领金骨头奖了。我需要戴着最炫目的蝴蝶结哟！"

正说着，米莉和米乐迪两个人一人滑着一个展架冲着佩妮冲了过来！

"嘀嘀！"米莉高声喊着。

"麻烦让一下！"米乐迪紧跟着米莉从旁边滑过。

佩妮·普杜尔发起了脾气："你们可是向我保证了要给我一个完全安静的购物环境的！"

小布谷鸟露卡抱着相机飞了出来，拍了张照片："我爱你的所有影片！可以给我一个你的亲笔签名吗？"

"现在不行，小布谷鸟。"黛丝伸出手挡住了镜头，说，"米妮正想给普杜尔小姐展示她独一无二的蝴蝶结作品呢。"

佩妮·普杜尔兴奋地问："哦？独一无二！"

米妮马上反应了过来，把那个她刚刚用宝石点缀好的亮闪闪的蝴蝶结，拿给了佩妮。

"它的名字叫做'钻石名媛'"米妮灵机一动，为蝴蝶结起了个佩妮会喜欢的名字。

佩妮·普杜尔被这个蝴蝶结深深地迷住了。

这时，米莉和米乐迪又冲过来了，冲向了米妮制作蝴蝶结的操作台和工具！

"小心！"两个双胞胎姐妹大喊。

她俩不仅撞飞了缎带盘和刚做好的蝴蝶结，还撞翻了一罐颜料。
罐里的颜料溅得到处都是！

佩妮·普杜尔受够了这充满惊吓的购物环境，终于爆发了："我看，我到这儿来简直就是一个错误！"

　　"我肯定能帮您找到绝对完美的配饰，"米妮连忙说，"请您再多等一小会儿。"

"等？"佩妮很生气，"我可没有多余的时间在这儿浪费了！我必须马上起程！"

佩妮刚要走，转眼之间身上就被缠上了一圈圈的丝带，她惊叫道："你们这些小怪物对我做了什么？"

"哦不，她们不是小怪物，"米妮纠正佩妮，"她们是我的小帮手！"

她边说，边飞快地在两个姐妹的作品上点缀着蝴蝶结和宝石。

"我看这件裙子马上就要大功告成了！"

佩妮·普杜尔看着镜子里的自己，立刻转怒为喜。

"我看起来美极了！"她情不自禁地赞美着自己，"你们简直太心灵手巧了！"

一旁的米妮甜甜地笑了起来。

"我向来都这么觉得！"黛丝在旁边表示赞同。

大家都对佩妮的新造型赞不绝口。

"普杜尔小姐！"她的一位影迷呼唤她，"您这身装扮看起来太棒了！"

"请问您穿的是哪家定制的高级服装？"一位摄影记者采访她。

佩妮得意地笑起来："还有谁能做出这么棒的衣服？当然是米妮小姐！"

米莉和米乐迪看着被她们弄得一团糟的蝴蝶结，向米妮保证说：
"米妮阿姨，我们会帮你收拾干净的。"

黛丝松了一口气，说：“真佩服你，米妮。”她边说，边无可奈何地看着淘气的双胞胎姐妹摇了摇头。

　　“呵呵，黛丝，”米妮笑着告诉她，“我只是想把快乐带给大家，慢慢来，不能急哟！”

米妮的蝴蝶结精品店里摆放着如此多的蝴蝶结，大明星佩妮都快数不清了。请你快来帮帮忙，数一数下面这幅图画里，到底有多少个蝴蝶结。

答案：12个。

2 3 1 2

　　米妮的蝴蝶结精品店里来了几个新顾客，请你看看这里的蝴蝶结，为米妮
的顾客搭配好适合他们的蝴蝶结，并和爸爸妈妈说说自己这样搭配的理由。

益智启蒙新故事

米妮的精品店

米妮邀请她的朋友们到她的精品店里欣赏新到的商品。

"本店新进了很多蝴蝶结和领结，各式各样，应有尽有，而且颜色、形状和尺寸都很齐全。"米妮热情地招呼伙伴们，"欢迎进店选购！"

大家在店里好奇地东瞧瞧、西看看。

"天哪，米妮！"高飞激动地喊，"我喜欢你的小飞蝶领结！"

米妮递给高飞一个捕蝶网，"我今天为大家举办了一个优惠活动，"米妮微笑着告诉高飞，"你能捕捉到的小飞蝶领结就全都归你了！"

皮特想为自己的阿姨找一件生日礼物。可是这么多的蝴蝶结让他眼花缭乱！他靠在展架上，伸手想去够一个特别漂亮的条纹蝴蝶结……

……皮特不小心把展架上的蝴蝶结都碰掉了！他见自己闯了祸，赶紧跑开了。

还好有大家在，掉在地上的蝴蝶结很快就被重新摆回到了展架上。皮特可不想再惹麻烦了，他决定等大家选完了他再选，没准儿最后他还真能找到一个适合阿姨的蝴蝶结呢！

米妮真是个优秀的推销员。她帮每一个人都找到了适合自己的蝴蝶结。

布鲁托拿到了一个骨头领结——这对爱骨头的小狗来说太妙了！

　　唐老鸭选的领结不仅看起来酷酷的，而且还能拍照片呢！原来他的是照相机领结！

　　"茄子！"唐老鸭招呼伙伴们来照相喽！

　　"各位，注意了！"米奇太喜欢自己的麦克风领结了，它能把自己的声音放大到让每个人都听得见！

克拉贝尔对自己独一无二的蝴蝶结十分着迷。只要往她的蝴蝶结上喷一点儿水，上面就会开出紫色的鲜花。原来这是个常青结！

"快看，高飞！"米奇用自己的麦克风领结招呼道，"你有更多的小飞蝶领结可以抓啦！"

"这可比马戏团有趣多了！" 高飞的两条胳膊上各绑着一个蝴蝶结，"瞧瞧，每人都有！"

"我的新蝴蝶结让我感到非常开心，"黛丝感激地对米妮说。
　　"我能感觉得到，"米妮告诉黛丝，"这是个心情蝴蝶结。"

当黛丝快乐的时候，心情蝴蝶结是黄色的。

当黛丝悲伤的时候，蝴蝶结就变成了蓝色的。

当她生气的时候，蝴蝶结会变成红色。

米妮戴上了商店里最美丽的蝴蝶结为大家展示着。那是一只闪闪发光、璀璨炫目的霓虹蝴蝶结。

米妮的蝴蝶结精品店里的每一个蝴蝶结都漂亮极了，可是皮特还是不知道该为自己的阿姨挑选哪一个。他发现了一个带开关的彩色蝴蝶结。皮特拉了一下开关，蝴蝶结就开始旋转起来。原来这是个风扇蝴蝶结！

风扇蝴蝶结越转越快，越转越快，把商店里的东西都吹走了！皮特好不容易才把蝴蝶结关上。

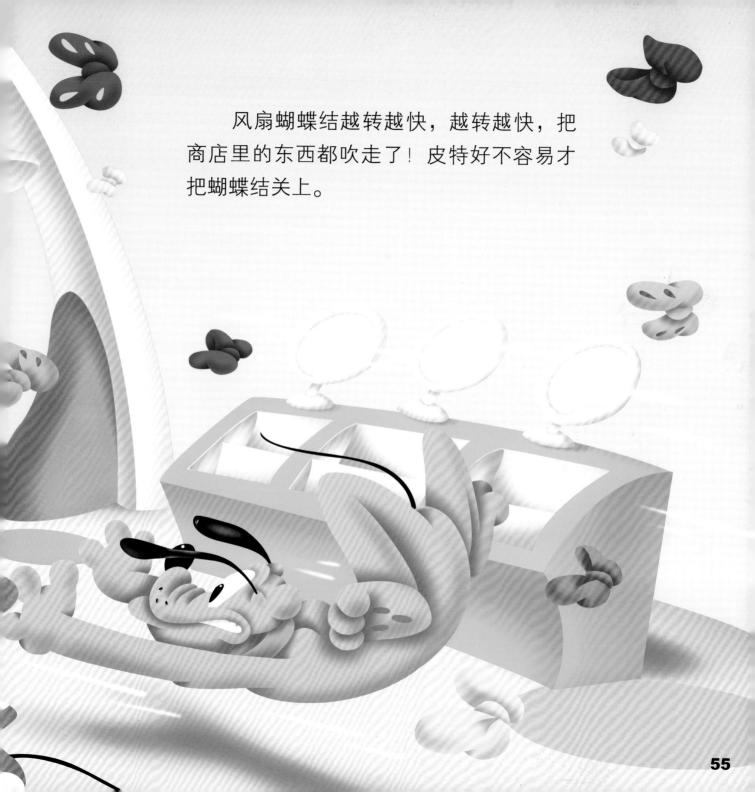

大家急忙把散落在地上的蝴蝶结捡起来，把它们分别放回原位。

米妮向她的朋友们道歉："对于风扇蝴蝶结惹出来的麻烦，我感到十分抱歉，"她诚恳地跟大家解释道，"我还没想好该怎么使用这个风扇蝴蝶结。"

"这个蝴蝶结可太完美了！" 皮特很激动，"我的阿姨肯定会喜欢这个蝴蝶结的。"

皮特说着，拿出了一张他阿姨的照片，照片上胖胖的阿姨满头大汗，不停地扇着扇子。

"她每天都在厨房里热火朝天地工作。一个风扇蝴蝶结对她来说肯定是最棒的生日礼物了！"

每个人都在米妮的精品店里找到了自己喜欢的蝴蝶结，米妮高兴极了！

一人一个蝴蝶结

妙妙屋的好朋友在米妮的蝴蝶结精品店里找到了自己需要的蝴蝶结，
你还记得他们每个人选的蝴蝶结的样子吗？请把蝴蝶结和它的主人连连线。

59

心情蝴蝶结

妙妙
聪明学

这么多的蝴蝶结，真是让人眼花缭乱！还记得黛丝那个能够表达心情的蝴蝶结吗？请你连连看，仔细观察一下大家的表情，找到对应他们心情颜色的心情蝴蝶结。

开心的表情

忧郁时的表情

生气的表情

60